À tous les membres de la famille

L'apprentissage de la lecture est l'une des réalisations les plus importantes de la petite enfance. La collection *Je peux lire!* est conçue pour aider les enfants à devenir des lecteurs experts qui aiment lire. Les jeunes lecteurs apprennent à lire en se souvenant de mots utilisés fréquemment comme « le », « est » et « et », en utilisant les techniques phoniques pour décoder de nouveaux mots et en interprétant les indices des illustrations et du texte. Ces livres offrent des histoires que les enfants aiment et la structure dont ils ont besoin pour lire couramment et sans aide. Voici des suggestions pour aider votre enfant avant, pendant et après la lecture.

Avant

Examinez la couverture et les illustrations, et demandez à votre enfant de prédire de quoi on parle dans le livre.

Lisez l'histoire à votre enfant.

Encouragez votre enfant à dire avec vous les formulations et les mots qui lui sont familiers.

Lisez une ligne et demandez à votre enfant de la relire après vous.

Pendant

Demandez à votre enfant de penser à un mot qu'il ne reconnaît pas tout de suite. Donnez-lui des indices comme : « On va voir si on connaît les sons » et « Est-ce qu'on a déjà lu un mot comme celui-là? ».

Encouragez l'enfant à utiliser ses compétences phoniques pour prononcer d'autres mots.

Lorsque l'enfant a besoin d'aide, lisez-lui le mot qui pose un problème, pour qu'il n'ait pas trop de mal à lire et que l'expérience de la lecture avec les parents soit positive.

Encouragez votre enfant à lire avec expression... comme un comédien!

Après

Proposez à votre enfant de dresser une liste de mots qu'il préfère.

Encouragez votre enfant à relire ses livres. Il peut les lire à ses frères et sœurs, à ses grands-parents et même à ses toutous. Les lectures répétées donnent confiance au jeune lecteur.

Parlez des histoires que vous avez lues. Posez des questions et répondez à celles de votre enfant. Partagez vos idées au sujet des personnages et des événements les plus amusants et les plus intéressants.

J'espère que vous et votre enfant allez aimer ce livre.

Francie Alexander,
spécialiste en lecture

D1506907

À *Megan et à Sean*
— *F.R.*

À *tous nos amis du règne animal*
qui participent comme nous
à *la grande aventure de la vie.*
— *J.C.*

Un gros merci à Laurie Roulston
du musée d'Histoire naturelle de Denver
pour son expertise.

Données de catalogage avant publication
de la Bibliothèque nationale du Canada

Robinson, Faye
  Coccinelles et compagnie

(Je peux lire!. Niveau 2. Sciences)
Traduction de: Creepy beetles
Pour enfants de 5 à 7 ans.
ISBN 0-7791-1556-2

1. Coléoptères--Ouvrages pour la jeunesse. I. Cassels, Jean
II. Titre. III. Collection.

QL576.2.R6314 2002   j595.76   C2001-903410-5

Édition publiée par Les éditions Scholastic, 175 Hillmount Road,
Markham (Ontario) L6C 1Z7.

5 4 3 2 1   Imprimé au Canada   02 03 04 05

Coccinelles et compagnie

Fay Robinson

Illustrations de Jean Cassels

Texte français d'Hélène Pilotto

Je peux lire! — SCIENCES — Niveau 2

Les éditions Scholastic

Regardons
autour de nous,

les coléoptères sont partout!

Par temps chaud
ou par temps froid,

les coléoptères
se baladent de haut

en bas.

Les coléoptères laissent leurs traces dans le sable, marchant dans un désert interminable.

Ils vivent depuis longtemps
sur Terre.
Ils ne sont pas nés d'hier!

Ce coléoptère est très élégant.
On dirait un bijou vivant!

Celui-ci a des motifs bizarres.
Et l'autre est rouge à points noirs.

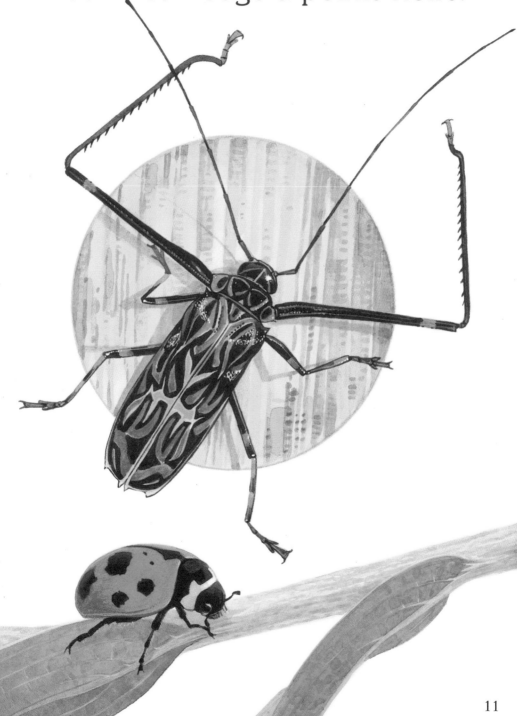

Celui-ci est plutôt mignon.

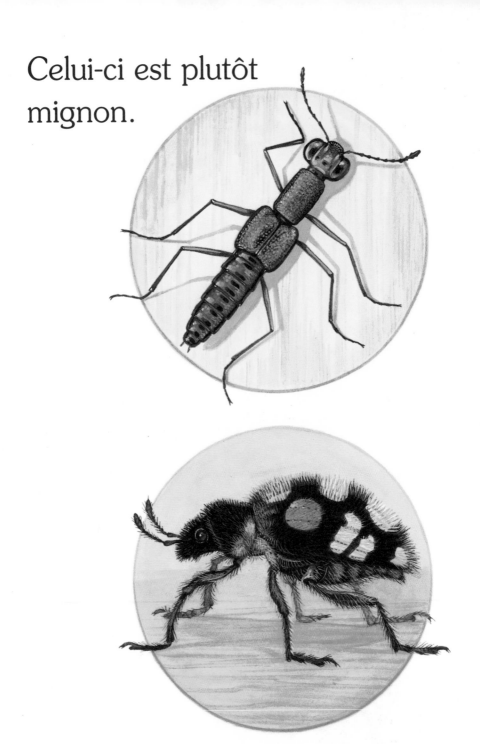

Celui-là est plutôt velu.

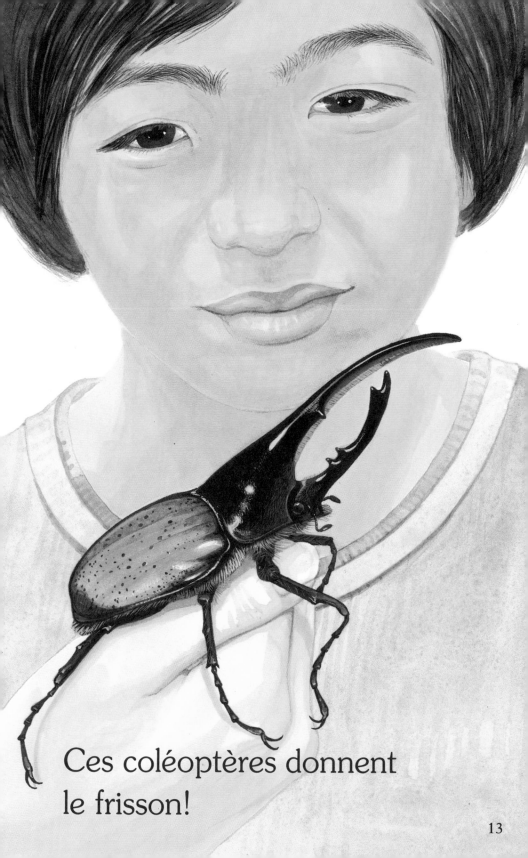

Ces coléoptères donnent
le frisson!

Certains font penser
à un chapeau,

à une tortue,

à une araignée

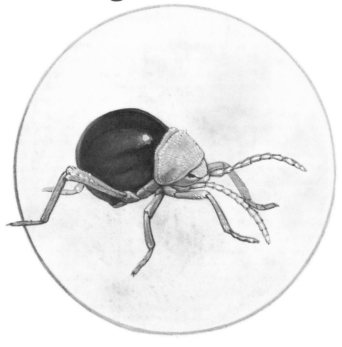

ou à un éléphant.

Les larves viennent des œufs.
Ce sont de petits vers
marchant à la queue leu leu.

Ces larves sont affamées.
Elles mangent avec avidité,
puis vont se reposer.

Bien au chaud et à l'abri,
cette larve change et grandit.

Une coccinelle sort enfin.
Elle se fait sécher
avant de se mettre en chemin.

Au menu, des tiges tendres,

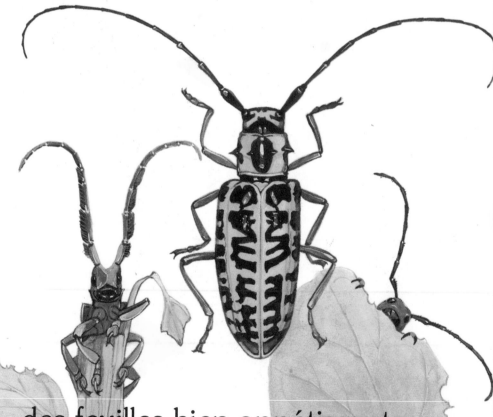

des feuilles bien appétissantes,

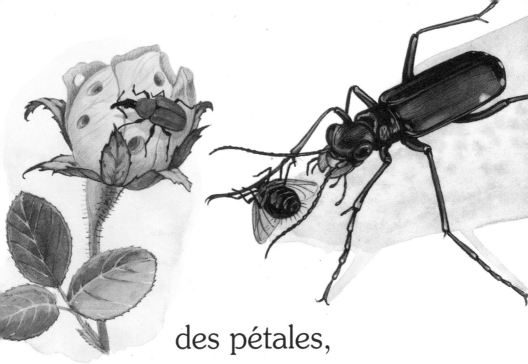

des pétales,
des insectes plus petits,

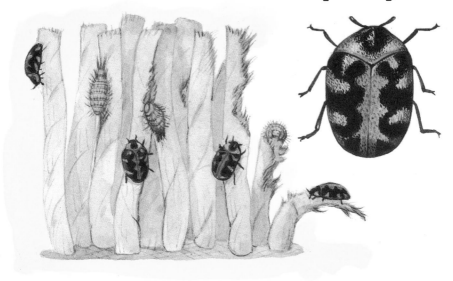

ou encore un bout de tapis!

Certains coléoptères peuvent même manger du poisson au déjeuner.

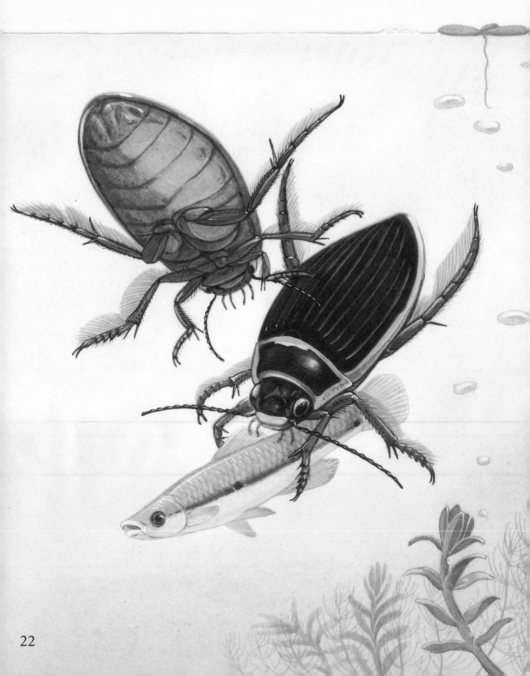

Cet insecte cache ses ailes.
Il les déploie pour s'envoler
dans le ciel.

Ceux-ci adorent tourner en rond.

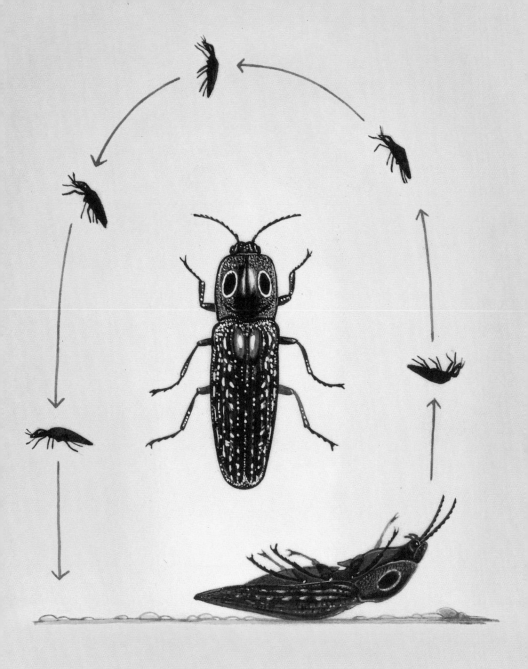

Ceux-là font de prodigieux bonds.

Ceux-ci s'affrontent en duel.

Ceux-là brillent dans le ciel.

Regardons autour de nous,

les coléoptères sont partout!

Couverture :
Pyrochroa coccinea (latin)

Couverture : Méloé

Couverture : Chrysomèle
de l'asclépiade

Couverture : Coccinelle

Couverture : Hanneton

Page 4 :
Bupresque du laurier

Page 4 :
Punaise de l'asclépiade

Page 4 : Méloé rayé

Page 4 : Calosome
sycophante

Page 4 : Silphe du Nord

Page 5 : Desmocère à
manteau

Page 5 : Longicorne
de l'asclépiade

Page 5 : *Cypherotylus
asperus* (latin)

Page 5 : *Scaphidium
quadrimaculasum* (latin)

Page 6 : Cantharide

Page 7 : Lucane

Page 8 : Ténébrion

Page 9 : Lamellicornes

Page 9 : Carabe

Page 10 : Perceuse à bois

Page 11 :
Punaise arlequine

Page 11 : Coccinelle

Page 12 : Staphylin

Page 12 : Charançon

Page 13 :
Dynaste hercule

Page 14 :
Coléoptère tortue

Page 15 : Ptine

Page 15 : Charançon

Page 16 :
Larves de coccinelle

Page 17 : Larve de
coccinelle mangeant
des pucerons

Page 17 :
Nymphe de coccinelle

Page 18 :
Nymphe de coccinelle

Page 19 : Coccinelle

Page 20 : Doryphore
de la pomme de terre

Page 20 : Bupreste
du peuplier

Page 21 :
Charançon du rosier

Page 21 : Cicindèle

31

Page 21 :
Anthrène des tapis

Page 22 :
Coléoptères aquatiques

Page 23 :
Pyrochroa coccinea (latin)

Page 24 : Gyrin ou
tourniquet

Page 25 : Taupin

Page 26 : Lucane
cerf-volant

Page 27 : Luciole

Page 28 : Scarabée vert

Page 28 : Clairon

Page 28 : Chrysomèle
turquoise et or

Page 28 : Casside dorée

Page 28 : Carabe

Page 29 : Hanneton

Page 29 : Hanneton

Page 29 : *Pyrochroa
serraticornis* (latin)

Page 29 : Doryphore de la
pomme de terre

Page 29 : Charançon
d'Amérique du Sud

Page 29 : Coléoptère tor

Page 29 : Chrysomèle
du Mexique .